S0-AUC-943

うたえほん

つちだ よしはる え

ゆりかごのうた

1　ゆりかごのうたを
カナリヤがうたうよ
ねんねこ　ねんねこ
ねんねこよ

2　ゆりかごのうえに
びわのみがゆれるよ
ねんねこ　ねんねこ
ねんねこよ

3　ゆりかごのつなを
きねずみがゆするよ
ねんねこ　ねんねこ
ねんねこよ

4　ゆりかごのゆめに
きいろいつきがかかるよ
ねんねこ　ねんねこ
ねんねこよ

おかあさん

1　おかあさん　なあに
　　おかあさんて　いいにおい
　　せんたくしていた　においでしょう
　　しゃぼんのあわの　においでしょう

2　おかあさん　なあに
　　おかあさんて　いいにおい
　　おりょうりしていた　においでしょう
　　たまごやきの　においでしょう

うさぎ

うさぎ　うさぎ

なにみてはねる

じゅうごやおつきさま

みてはねる

こもりうた

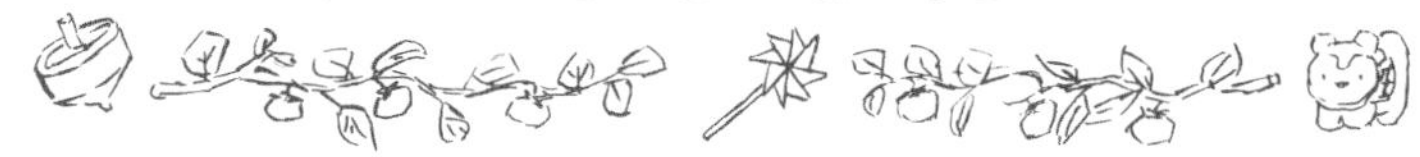

1　ねんねんころりよ　おころりよ
　ぼうやはよいこだ　ねんねしな

2　ぼうやのおもりは　どこへいった
　あのやまこえて　さとへいった

3　さとのおみやに　なにもろた
　でんでんだいこに　しょうのふえ

ことりのうた

1　ことりは　とっても
うたがすき
かあさん　よぶのも
うたでよぶ
ぴぴぴぴ　ぴ
ちちちち　ち
ぴちくり　ぴ

2　ことりは　とっても
うたがすき
とうさん　よぶのも
うたでよぶ
ぴぴぴぴ　ぴ
ちちちち　ち
ぴちくり　ぴ

ぞうさん

1　ぞうさん　ぞうさん
　　おはなが　ながいのね
　　そうよ
　　かあさんも　ながいのよ

2　ぞうさん　ぞうさん
　　だれが　すきなの
　　あのね
　　かあさんが　すきなのよ

あかいとりことり

1　あかいとり　ことり
　　なぜなぜあかい
　　あかいみをたべた

2　しろいとり　ことり
　　なぜなぜしろい
　　しろいみをたべた

3　あおいとり　ことり
　　なぜなぜあおい
　　あおいみをたべた

おはなしゆびさん

1　このゆび　パパ
ふとっちょ　パパ
やあ　やあ　やあ　やあ
ワハハハハハハ
おはなしする

2　このゆび　ママ
やさしい　ママ
まあ　まあ　まあ　まあ
オホホホホホホ
おはなしする

3　このゆび　にいさん
おおきい　にいさん
オス　オス　オス　オス
エヘヘヘヘヘヘ
おはなしする

4　このゆび　ねえさん
おしゃれな　ねえさん
アラ　アラ　アラ　アラ
ウフフフフフフ
おはなしする

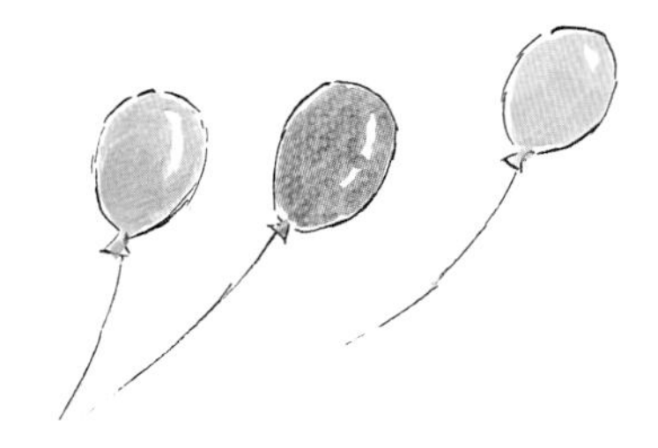

5　このゆび　あかちゃん
よちよち　あかちゃん
ウマ　ウマ　ウマ　ウマ
アブブブブブブ
おはなしする

どんぐりころころ

1　どんぐりころころ　ドンブリコ
おいけにはまって　さあたいへん
どじょうがでてきて　こんにちは
ぼっちゃんいっしょに　あそびましょう

2　どんぐりころころ　よろこんで
しばらくいっしょに　あそんだが
やっぱりおやまが　こいしいと
ないてはどじょうを　こまらせた

ひらいたひらいた

1　ひらいた　ひらいた
なんのはなが　ひらいた
れんげのはなが　ひらいた
ひらいたと　おもったら
いつのまにか　つぼんだ

2　つぼんだ　つぼんだ
なんのはなが　つぼんだ
れんげのはなが　つぼんだ
つぼんだと　おもったら
いつのまにか　ひらいた

ちょうちょう

ちょうちょう　ちょうちょう
なのはに　とまれ
なのはに　あいたら
さくらに　とまれ
さくらのはなの　はなからはなへ
とまれよ　あそべ
あそべよ　とまれ

かわいいかくれんぼ

1　ひよこがね
　おにわでぴょこぴょこ　かくれんぼ
　どんなにじょうずに　かくれても
　きいろいあんよが　みえてるよ
　だんだんだぁれが　めっかった

2　すずめがね
おやねでちょんちょん　かくれんぼ
どんなにじょうずに　かくれても
ちゃいろのぼうしがみえてるよ
だんだんだぁれが　めっかった

3　こいぬがね
のはらでよちよち　かくれんぼ
どんなにじょうずに　かくれても
かわいいしっぽが　みえてるよ
だんだんだぁれが　めっかった

やぎさんゆうびん

1　しろやぎさんから　おてがみついた
くろやぎさんたら　よまずにたべた
しかたがないので　おてがみかいた
さっきのてがみの
ごようじなあに

2　くろやぎさんから　おてがみついた
しろやぎさんたら　よまずにたべた
しかたがないので　おてがみかいた
さっきのてがみの
ごようじなあに

ぶんぶんぶん

1　ぶん　ぶん　ぶん
はちがとぶ
おいけのまわりに
のばらがさいたよ
ぶん　ぶん　ぶん
はちがとぶ

2　ぶん　ぶん　ぶん
はちがとぶ
あさつゆきらきら
のばらがゆれるよ
ぶん　ぶん　ぶん
はちがとぶ

いぬのおまわりさん

1　まいごの　まいごの　こねこちゃん
あなたの　おうちは　どこですか
おうちを　きいても　わからない
なまえを　きいても　わからない
ニャン　ニャン　ニャン　ニャン
ニャン　ニャン　ニャン　ニャン
ないてばかりいる　こねこちゃん
いぬのおまわりさん　こまってしまって
ワン　ワン　ワン　ワーン
ワン　ワン　ワン　ワーン

2　まいごの　まいごの　こねこちゃん
このこの　おうちは　どこですか
からすに　きいても　わからない
すずめに　きいても　わからない
ニャン　ニャン　ニャン　ニャン
ニャン　ニャン　ニャン　ニャン
ないてばかりいる　こねこちゃん
いぬのおまわりさん　こまってしまって
ワン　ワン　ワン　ワーン
ワン　ワン　ワン　ワーン

しゃぼんだま

1　しゃぼんだま　とんだ
やねまでとんだ
やねまでとんで
こわれてきえた

2　しゃぼんだま　きえた
とばずにきえた
うまれてすぐに
こわれてきえた

かぜ　かぜ　ふくな
しゃぼんだま　とばそ

かたつむり

1　でんでんむしむし　かたつむり
おまえのあたまは　どこにある
つのだせ　やりだせ　あたまだせ

2　でんでんむしむし　かたつむり
おまえのめだまは　どこにある
つのだせ　やりだせ　めだまだせ

とんぼのめがね

1　とんぼのめがねは
みずいろめがね
あおいおそらを
とんだから　とんだから

2　とんぼのめがねは
ぴかぴかめがね
おてんとさまを
みてたから　みてたから

3　とんぼのめがねは
あかいろめがね
ゆうやけぐもを
とんだから　とんだから

おすもうくまちゃん

1 おすもう　くまちゃん
くまのこちゃん
はっけ　よい　よい
はっけ よい　はっけ よい
どちらが　つよいか
はっけ　よい
しっかり　しっかり
しっかりね

2 おすもう　くまちゃん
くまのこちゃん
はっけ　よい　よい
はっけ よい　はっけ よい
ころんで　まけても
はっけ　よい
ないては　だめだよ
だめですよ

きしゃポッポ

おやまのなかゆく　きしゃポッポ
ポッポ　ポッポ　くろいけむをだし
シュシュシュシュ　しろいゆげふいて
きかんしゃときかんしゃが
まえひき　あとおし
なんださか　こんなさか
なんださか　こんなさか

トンネル　てっきょう
ポッポッ　ポッポッ
トンネル　てっきょう
シュ　シュ　シュ　シュ
トンネル　てっきょう
トンネル　てっきょう
トンネル　トンネル
トントントンと　のぼりゆく

むすんでひらいて

むすんで　ひらいて
てを　うって　むすんで
また　ひらいて
てを　うって
その　てを　うえに
　（その　てを　したに）
むすんで　ひらいて
てを　うって　むすんで

ゆ　き

1　ゆきや　こんこ
あられや　こんこ
ふっては　ふっては
ずんずん　つもる
やまも　のはらも
わたぼうし　かぶり
かれき　のこらず
はながさく

2　ゆきや　こんこ
あられや　こんこ
ふっても　ふっても
まだ　ふりやまぬ
いぬは　よろこび
にわ　かけまわり
ねこは　こたつで
まるくなる

うれしいひなまつり

1　あかりをつけましょ　ぼんぼりに
おはなをあげましょ　もものはな
ごにんばやしの　ふえ　たいこ
きょうはたのしい　ひなまつり

2　おだいりさまと　おひなさま
ふたりならんで　すましがお
およめにいらした　ねえさまに
よくにたかんじょの　しろいかお

3　きんのびょうぶに　うつるひを
かすかにゆする　はるのかぜ
すこししろざけ　めされたか
あかいおかおの　うだいじん

4　きものをきかえて　おびしめて
きょうはわたしも　はれすがた
はるのやよいの　このよきひ
なによりうれしい　ひなまつり

こいのぼり

やねよりたかい　こいのぼり
おおきいまごいは　おとうさん
ちいさいひごいは　こどもたち
おもしろそうに　およいでる

たなばたさま

1　ささのは　さらさら
　のきばにゆれる
　おほしさま　きらきら
　きんぎんすなご

2　ごしきの　たんざく
　わたしがかいた
　おほしさま　きらきら
　そらからみてる

むしのこえ

1　あれまつむしがないている
ちんちろちんちろ　ちんちろりん
あれすずむしも　なきだした
りんりんりんりん　りいんりん
あきのよながを　なきとおす
ああおもしろい　むしのこえ

2　きりきりきりきり　こおろぎや
がちゃがちゃがちゃがちゃ　くつわむし
あとからうまおい　おいついて
ちょんちょんちょんちょん　すいっちょん
あきのよながを　なきとおす
ああおもしろい　むしのこえ

つちだ よしはる（土田義晴）
1957年山形県鶴岡市に生まれる。中谷貞彦・千代子夫妻に師事し絵本の世界でさわやかな活動を続けている。作品に「はじめてのあいうえお」「ぼくとわたしのせいかつえほん」「うたえほんⅡ」「うたえほんⅢ」「ことばえほん」（グランまま社）、「きいろいばけつ」（あかね書房）、などがある。
東京都武蔵野市吉祥寺北町1-11-19